KB104985

달 기지 건설과 활용

달 기지 건설과 활용

발　행 | 2024년 1월 24일
저　자 | 김석환
펴낸이 | 한건희
펴낸곳 | 주식회사 부크크
출판사등록 | 2014.07.15.(제2014-16호)
주　소 | 서울특별시 금천구 가산디지털1로 119 SK트윈타워 A동 305호
전　화 | 1670-8316
이메일 | info@bookk.co.kr

ISBN | 979-11-410-6817-2

www.bookk.co.kr

달 기지 건설과 활용

우주 공학자 김석환 지음

목 차

작가의 말

이 책은 가까운 미래 인류가 대형우주선을 이용하여 달에 로봇과 무인 장비들을 보내 달에 매장된 많은 희소 자원들을 채굴 및 활용하고 기지를 건설하는 것에 대하여 설명하였습니다.

그리고 다양한 무인 장비들을 사용하여 달 기지 건설을 추진 완료하고 달에서 다양한 경제 활동이 이루어지고 인류는 지구를 벗어나 새로운 우주 탐험 시대를 열어가게 될 것입니다.

지구인들이 더 넓은 우주로의 모험을 함께 나아가기를 기대합니다.

Ⅰ 서 론

제1장. 첫걸음

우리는 세상에 태어나 자라나면서 마음대로 걸음을 걷습니다. 그 걸음 보폭이 좁거나 넓거나 하는 것과는 상관없이 세상 속에서 삶을 살아가게 됩니다.

현재 우리는 지구에 살아가고 있으며, 낮에는 태양을 바라보고 밤에는 수많은 별과 달을 보며 살아가고 있습니다.

우리는 가끔 어두운 밤에 길을 걸어갈 때 지면을 밝게 비추는 달을 볼 수 있게 됩니다. 그 환하게 비추는 달은 우리가 생각하기에 가까이 있는 것처럼 보이지만 실제로는 약 38만Km정도 떨어진 먼 거리에 있습니다.

최근 우리는 달에 대하여 엄청나게 관심이 증가하고 있다는 사실을 인터넷 뉴스나 미디어를 통해 알 수 있습니다.

거기에는 우주 선진국들이 앞다투어 달에 우주선을 발사하여 궤도선과 탐사선 및 로버를 보내고 있으며, 단순한 과학적 탐사를 벗어나 미래의 경제적 이익을 확보하려고 다른 나라들보다 먼저 움직이는 것입니다.

그것은 바로 달에 그동안 우리가 생각하지 못했던 많은 희소 자원들이 엄청나게 매장되어 있으며, 다른 나라들보다 우선 적으로 이런 희소자원을 선점할 수 있다면 엄청난 부국이 될 것임을 누구도 의심하지 않을 것입니다.

그리고 지구를 벗어나 달은 더 깊고 넓은 우주로

나아갈 수 있는 전초기지의 역할을 할 수 있는 지정학적으로도 매우 중요한 곳이 되었습니다.

그럼 우리가 달에 매장되어 있는 많은 희소 자원들을 채굴하여 경제적 이익을 얻으려면 무엇이 필요할까요? 한번 생각해 봅시다.

먼저 달에 매장되어 있는 희소 자원들을 채굴한다고 상상해 보면 충분한 자본과 인력 및 장비가 필요할 것입니다. 이런 자본과 인력과 장비를 갖추고 있는 것은 일반적으로 기업을 떠올리게 될 것입니다.

만약 처음부터 우주기업을 설립하고 이후 벤처캐피탈(Venture Capital, VC)로부터 투자금을 확보받아 장기간 우주기업으로 성장시킬 수 있는 가능성은 얼마나 될까요?

아마 대부분의 사람들은 '그건 엄청 어려운 일이 될 거야?' '그건 불가능한 일이야!'라고 말할 것입니다.

또한 저자가 많은 사람들에게 달 자원 채굴 우주기업을 설립한다고 말한다면 사기꾼 취급을 받거나 미쳤다고 생각할 것이고 대부분의 사람들이 그렇게 생각하고 판단할 것입니다.

그래서 저자는 처음부터 우주기업을 설립해서 진행한다는 생각의 틀에서 벗어나 현재 국내 또는 국외에서 잘 운영되고 있는 기업 중에서 몇 개를 묶어서 파트너십(Partnership)을 체결합니다.

그리고 그 기업들을 모아서 달 자원 채굴사업 분할투자를 위하여 토큰증권(ST : Security Token)을 발행하고 토큰 증권의 명칭은 달로 간다는 영어 약자

(To the Moon)를 이용하여 TM 토큰(가칭) 증권을 발행하여 사업을 추진하는 것을 제안합니다.

왜냐하면 하나의 민간 우주기업에서 달에 매장되어 있는 자원을 독점하여 채굴하여 활용까지 할 수 있는 충분한 자본과 인력과 장비를 갖추고 있는 곳은 거의 없다고 생각합니다.

또한 민간 우주기업 하나에서 모든 위험을 감수하기보다는 여러 개의 민간 우주기업이 함께 달 자원 채굴에 참여함으로써 위험 부담을 최소화할 수 있게 될 것입니다.

예를들면 우주발사체 기술을 보유한 스페이스X와 건설/광산 장비 생산업체 기술을 보유한 캐터필러(Caterpillar)와 로봇 제조 기술을 보유한 보스톤 다이내믹스(Boston Scientific Corporation) 기업이 함께 파트너십을 체결하고 달 자원 채굴사업 분할 투자를 위하여 TM 토큰(가칭) 증권을 발행하여 사업을 추진합니다.

서로 파트너십을 체결한 3개의 민간기업은 자신들이 보유한 기술, 자본, 장비, 인력을 이용하여 달에 매장되어 있는 많은 희소 자원들을 채굴하기 쉬워질 것이고 달 자원 채굴사업에 대한 위험 부담도 크게 줄일 수 있을 것입니다.

그리고 국내 또는 국외 증권거래소에서 발행하는 TM 토큰(가칭) 증권은 달에 매장되어 있는 많은 희소 자원들을 채굴하기 위해 우주선과 채굴 장비 및 로봇 등을 만드는 자금으로 사용하는데 매우 효과적일 것입니다.

또한 TM 토큰(가칭) 증권은 국내 또는 국외 증권

거래소에서 총발행량이 일정하게 정해진 상태로 발행되고 총발행량 중에서 일정량은 파트너십을 체결한 3개의 민간기업에 분배되고 나머지는 투자자 또는 일반인들에게 공개 판매되어 달 자원 채굴사업 운용 자금을 확보하는데 크게 도움을 줄 것입니다.

그리고 달 자원 채굴사업에 따라 발생하는 총수익금은 TM 토큰(가칭) 증권을 보유하고 있는 3개의 민간기업과 투자자 및 일반인들에게 배당금 형태로 매년 지급하게 될 것이고 총수익금의 일부 금액은 TM 토큰(가칭) 증권을 일정량 매입하여 락업하거나 소각하는데 사용되어 TM 토큰(가칭) 증권의 가치를 점진적으로 상승시킬 수 있을 것입니다.

또한 달 자원 채굴사업의 실패를 고려하여 TM 토큰(가칭) 증권을 상장할 때 전체 발행금액을 증권거래소에 일정 기간 예치해 넣어놓고 그 기간 안에 채굴사업 실패시 TM 토큰(가칭) 증권 보유자에게 약간의 이자와 최초 발행금액을 합쳐서 돌려줌으로써 투자자들에게 확신과 믿음을 줄 것입니다.

우리는 지구를 벗어나 우주에서 가장 가까운 위성인 달에 매장되어 있는 많은 희소 자원들을 채굴과 활용하는 것뿐만 아니라 다양한 사업들에 대하여 많은 기업들이 서로 파트너십을 체결하고 다양한 토큰 증권 발행을 통하여 우주개발 사업들의 위험성을 줄이고 더욱 쉽게 우주 사업을 추진 할 수 있게 될 것입니다.

예를들면 달 지하 용암동굴에 유인기지를 건설하고 우주인이 장기간 머무르고 여행할 수 있는 객실과 쇼핑몰 등을 만들어 놓고 우주 호텔사업을 하는 것에 대하여 기업들이 서로 파트너십을 체결하고 이런 우주 호텔사업 분할 투자를 위하여 토큰 증권을 발행하여 우주 사업을 추진할 수도 있을 것입니다.

여러분은 달에서 할 수 있는 다양한 사업 아이템에 대하여 생각해 볼 수 있을 것이며, 꼭 기업들만이 아닌 나라, 개인들도 할 수 있는 사업을 생각해 보시길 바랍니다.

인류는 가까운 미래에 지구를 벗어나 더 깊고 넓은 우주를 탐험하게 될 것입니다.

그리고 우주에 존재하는 많은 행성과 위성, 혜성 등을 탐사하고 그곳에 매장되어 있는 자원들을 채굴하며, 인류가 거주할 수 있는 유인기지를 건설하거나 무인 기지를 건설하는 우주 탐험 시대를 맞이하게 될 것입니다.

바야흐로 우리들의 눈앞에는 수많은 경제 활동이

이루어지는 우주 대경제 시대가 펼쳐질 것이고 우리의 가슴이 뜨겁게 벅차오르는 것을 느낄 수 있을 것입니다.

제2장. 디지털 분류화

우리가 사는 세상은 엄청나게 많은 정보의 홍수 속에 살아가고 있으며, 하루에도 많은 정보가 세상 밖으로 쏟아지고 있습니다.

이런 정보의 홍수 속에서 보물처럼 가치가 있는 자료들을 찾거나 정리하는 일은 쉬운 일이 아닐 것입니다.

그동안 인류는 달에 지속적으로 무인우주선을 발사하여 탐사 및 조사를 하였고 이후 유인 우주선을 보내 달 표면에서 채취한 달 토양과 암석들을 지구로 가져와 다양한 실험을 통하여 달에 대한 비밀을 풀어가고 있습니다.

달의 정보에 대하여 뉴스 기사, 논문, 보고서 등 인터넷상에 많은 자료가 분별없이 쌓여 있습니다.

이런 상황 속에서 달에 매장된 자원을 채굴하여 경제적 목적을 달성하기 위하여 그동안 탐사, 조사, 연구, 실험 등을 통하여 알아낸 달에 대한 정보를 체계적으로 디지털 분류화가 필요하다고 생각하게 되었습니다.

그래서 달 정보를 지상, 지표면, 지하로 세분화하여 디지털 분류화하는 것을 제안합니다.

먼저 지상은 지표면 위쪽 부분의 영역을 말하며, 대기, 태양풍, 우주방사선, 자외선, 혜성, 지상 온도 등 달의 지상 공간에 포함된 다양한 자료를 체계적으로 디지털 분류화 작업을 하는 것입니다.

다음으로 지표면은 달 표층(표면에서 지하로 10cm 미만)의 영역을 말하며, 달먼지, 크레이터, 운석, 토질, 표면온도, 표면 자원 분포 등 지표면에 포함된 여러 가지 자료를 일률적으로 디지털 분류화 작업을 하는 것입니다.

그다음으로 지하는 달 표층 아래 부분의 영역을 말하며, 용암동굴, 암석의 강도, 깊이별 지하 온도, 지하자원 분포 등 지하에 포함된 많은 자료를 정리하여 디지털 분류화 작업을 하는 것입니다.

상기와 같이 달과 관련된 많은 정보에 대하여 체계적인 디지털 분류화를 통하여 가까운 미래에 달에 오랫동안 거주하게 될 인류에 미치는 영향을 분석하고 장기간 생활을 할 수 있는 방안에 대한 체계적인 연구와 방법을 알아내는데 매우 편리하게 이용할 수 있을 것입니다.

향후 미래 인류가 달에서 살아가는데 달 정보에 대한 디지털 분류화 자료는 학생들이나 일반인들에게 단계별 교육 목적으로 활용하는데 커다란 도움을 줄 것입니다.

또한 달에서 운용하게 될 로봇이나 무인 장비들에 대하여도 장시간 또는 오랜 기간 작업에 투입되었을 경우에 태양풍, 방사선, 달 먼지 등이 미치는 영향을 분석하고 체계적인 연구와 대처 방안을 마련하는데 매우 이로울 것입니다.

예를들면 달 표면에서 무인 채굴 장비를 사용하여 희소 자원들을 캐내어 낼 때 달 먼지는 장비에 달라붙어 마모, 장애, 고장 등을 발생시켜 작동하지 못하게 할 것입니다.

이런 작동 불량을 일으키는 달 먼지를 효과적으로 제어하는 방법으로 무인 채굴 장비를 제작할 때 외부 표면에 달 먼지를 차단해 주는 코팅층을 설치하여 먼지가 부착되는 것을 최소화하는 것입니다.

또한 달 표면에 무인 장비들이 채굴 작업을 완료하고 나서 달 지하 용암동굴에 구축된 기지로 들어갈 때 상하좌우로 먼지 제거제를 분사하여 장비에 붙은 먼지를 밖으로 날려 보내거나 제거하는 시설을 만드는데 디지털 분류화 자료를 이용할 수 있을 것입니다.

달 정보를 디지털 분류화하는 작업은 인공지능 및 빅데이터 등 다양한 자료 취합 및 분석 도구의 도움으로 보다 짧은 기간에 정리하는 것이 가능할 것입니다.

그러므로 우리는 달 정보의 체계적인 디지털 분류화를 구축하여 교육, 경제, 우주기술 발전 등 다양하게 활용할 수 있도록 하여야 할 것입니다.

제3장. 입체영상지도

우리가 어두운 밤에 달을 바라볼 때 달에 같은 면을 보는 이유는 달의 자전주기와 공전주기가 같기 때문입니다.

그리고 달의 앞면과 뒷면을 동시에 바라볼 수 없어 달을 입체적으로 전체를 바라볼 수 있는 지도가 있으면 편리할 것이라는 생각을 해 보았습니다.

달 전체의 모습을 대한민국에서 2022년 8월에 발사한 달 궤도선 다누리가 달 상공 100Km정도에 2022년 12월27일 성공적으로 안착하여 달 궤도를 비행하며 함께 탑재되어 있는 고해상도카메라 등을 통해 달 표면을 촬영하고 달 자원을 탐사하고 있습니다.

그리고 다른 우주 선진국들도 다양한 궤도선 및 탐

사선을 달에 보내 표면을 촬영하거나 자원을 탐사하고 있으며, 달에 매장된 많은 희소 자원들에 대한 정보를 모으고 있습니다.

그래서 이러한 달에 대한 촬영 사진 등을 이용하여 달 표면의 입체 영상지도를 가상공간에 제작하여 사용할 수 있다면 엄청난 경제적 가치를 얻을 수 있을 것입니다.

첫 번째는 달 표면의 산, 계곡, 커다란 운석구덩이, 크레이터, 먼지 등을 입체 영상지도로 만들어 가상공간에 실제처럼 보이도록 하는 것입니다.

그리고 학생들이나 일반인들은 링크된 앱 또는 사이트에 들어가 VR(Virtual Reality) 등 장비들을 사용하여 착용자가 실제 달 표면에 있는 것처럼 달 표면 보거나 걷기나 뛰는 등을 다양한 체험을 함으로써 달에 대한 이해와 관심이 높아질 것입니다.

두 번째는 달 표면의 입체 영상지도를 문화적 목적으로 이용하는 것입니다.

우리는 가까운 미래에 달 표면 및 지하공간에서 거주하며 어떤 것들을 보고 무엇을 먹고 마시며 즐길 수 있을지 상상해 볼 수 있습니다.

예를들면 달 표면에 떨어지는 크고 작은 운석들과 깊은 계곡 및 용암동굴 등 다양한 볼거리를 미리 가상공간에서 체험해 볼 수 있을 것입니다.

또한 무중력 또는 달의 실제 중력에 맞추어 다양한 게임(스포츠, 놀이 등)을 만들어 달에 인류가 가기 전에 어떤 것들을 즐길 수 있을지 미리 생각해 보고 느낄 수 있는 경험이 될 것입니다.

세 번째는 달에 매장된 희소자원들을 채굴하는데 입체 영상지도를 사용하여 경제적 목적을 달성하는 것입니다.

우리는 달에 헬륨-3, 희토류 등 많은 희소 자원들이 매장되어 있다는 것을 그동안 달을 조사한 궤도선과 탐사선 및 로버를 통하여 알고 있습니다.

그리고 달 표면 입체 영상지도를 희소 자원별로 색을 달리하고 가치별 중첩 크기를 색의 채도로 표현한다면 달의 어떤 지역에서 희소자원을 캐낼 때 경제적 이익이 가장 큰 채산성 지역을 쉽게 알아볼 수 있을 것입니다.

또한 달 표면의 입체 영상지도는 로봇과 무인 장비들을 달 표면에서 운용하게 될 경우에 미리 가상공간에서 실제와 가깝게 이동하거나 학습을 하는데 사용 할 수 있을 것입니다.

그러므로 달 표면의 입체 영상지도는 다양한 목적을 이루는데 매우 유용한 가치를 포함하고 가까운 미래에 달에 거주하게 될 인류에게 많은 도움과 이익을 줄 것입니다.

Ⅱ 본 론

제4장. 달 기지 건설

우리는 달에 헬륨-3, 희토류 등 희소 자원들이 많이 매장되어 있다는 사실을 미디어를 통해 알고 있을 것이며, 달에 매장되어 있는 자원을 먼저 선점하기 위한 치열한 경쟁을 하고 있습니다.

그 희소자원 선점 경쟁은 국가, 기업, 개인 등 어디에 소속되어 있던지와 상관없이 대형 및 소형우주선을 이용하여 가까운 미래에 자유롭게 일어나게 될 것입니다.

또한 세계의 많은 나라들은 자국의 이익을 위해서 때로는 우방이 되기도 하고 적이 되기도 합니다. 달에 매장되어 있는 많은 희소 자원들을 채굴하기 위해서 국가, 기업, 개인 등은 서로 협력하여 파트너십을 체결하여 누구보다 먼저 달을 선점하기 위해 미지의 땅을 향해 나아갈 것입니다.

앞으로 미래에는 반도체 등 4차산업에 꼭 필요한 희토류 등 희소 자원들이 더욱 많이 사용하게 될 것이고 자원이 부족한 나라라면 달에 기지를 건설하여 희소자원을 확보하는데 총력을 기울여야 한다고 생각합니다.

우리는 지구의 자원이 한정적이라는 사실을 누구나 알고 있으며, 지구의 자원이 다 떨어지고 나서 우주 밖으로 눈을 돌린다면 이미 시기를 놓쳐버리게 될 것입니다.

모든 것들이 다 갖추어진 상황에서 달에 매장되어 있는 많은 희소 자원들을 선점하는 경쟁에 참여한다면 얻는 것은 미미할 것이며, 도전을 통하여 시

행착오를 겪어 가면서 실패를 교훈 삼아 성공으로 가는 길을 가기를 바랍니다.

최근 달에 기지를 건설하는 일이 실현될 수 있는 가능성이 점차 높아지고 있습니다. 그 이유는 2023년 11월 스페이스X라는 민간 우주기업에서 대형우주선 내부에 150톤 가량의 적재물을 실어 나를 수 있는 우주선을 발사하는 실험을 실시하였으며, 실패에도 불구하고 또 다시 대형우주선을 발사하는 실험에 도전하고 있습니다.

향후 대형우주선 발사가 성공한다면 향후 인류가 달이나 화성으로 가서 자원을 채굴하는데 한꺼번에 많은 로봇과 채굴 장비들을 실어 날라 보낼 수 있게 되어 기지를 건설하거나 자원을 채굴하는데 성공확률이 매우 높아질 것입니다.

그럼 '달 기지 건설에 대하여 살펴볼까요?' 먼저 달 기지 건설에 대하여 달 표면에 있는 물을 이용 할 수 있는 지역과 물을 이용 할 수 없는 지역으로 나누어서 기지 건설 계획을 하였으면 좋겠다는 제안을 합니다.

즉 우리가 달에 장기간 머무르며 생활하는 지역에 유인기지를 건설하는 계획과 그 외 자원을 캐내기 위해 로봇 및 채굴 장비들을 이용하여 무인 기지를 건설하는 계획으로 나누어 추진함으로써 보다 빠르게 달에 있는 자원을 캐낼 수 있을 것입니다.

우리는 달에 인류가 거주하게 될 유인기지 건설장소 후보지로써 물을 충분히 공급받을 수 있는 달 남극 또는 북극이 대형우주선의 착륙지가 될 가능성이 매우 높다고 생각할 것입니다.

그리고 달 유인기지는 인류가 달 바깥으로부터 들어오는 우주방사선, 태양풍, 각종 유해 광선과 운석들로부터 보호를 받고 필요한 양의 물의 공급과 장기간 태양으로부터 보내는 빛을 받아 태양광 발전이 쉬운 곳으로 달 남극 또는 북극의 지하 용암동굴이 최상의 장소가 될 것입니다.

다음으로 달 무인 기지는 달에 매장되어 있는 많은 희소 자원들을 우선적으로 채취하여 경제적 이익을 달성하는 목적이 가장 클 것입니다.

따라서 달 무인기지 건설장소는 앞서 말한 바와 같이 물을 이용할 수 없는 지역도 크게 상관이 없으며, 달에서 운용하게 될 로봇과 무인 채굴 장비들에게 유리한 지역으로 희소 자원들의 매장량이 크고 채산성이 확보된 곳, 지형의 굴곡이 적고 비교적 평탄하여 장비들의 주행성이 우수한 곳, 무선통신이

방해받지 않는 곳 등을 고려해 볼 수 있습니다.

또한 로봇과 무인 채굴 장비들이 달 바깥에서 날아오는 운석 및 돌덩이 등으로부터 보호를 받는 달 지하 용암동굴이나 계곡의 하단부에 동굴을 뚫어 자원 보관창고 및 장비들의 격납고로 이용할 수 있는 곳이 최고의 무인기지 장소가 될 것입니다.

상기와 같이 달 무인기지 건설장소는 채산성과 장비들의 안전성을 동시에 확보할 수 있는 곳을 조사 및 분석하여 결정하여야 할 것입니다.

제5장. 달 유인기지 건설

우리는 앞서 개략적으로 살펴본 달 유인기지에 대하여 보다 세부적으로 건설하는 방향에 대하여 살펴보고자 합니다.

달 유인기지 건설장소는 인류가 장기간 체류할 수 있도록 물을 안정적으로 공급받을 수 있는 지역을 최우선으로 고려해야 하고 우주방사선, 유해광선, 운석, 돌덩어리 등 외부 위험으로 안전하게 보호받을 수 있고 비교적 온도변화도 적은 곳을 찾아야 할 것입니다.

그곳은 바로 달 남극지역의 용암동굴이며, 인류는 용암동굴을 유인기지 건설 장소로 이용함으로써 우주방사선, 태양풍, 운석 등 외부로부터 발생하는 위험을 최소화 할 것이고 달 남극 지하 용암동굴의 적정 크기로 입구 폭과 깊이(예시: 폭 200m이하,

깊이 400m이하)를 제안하고 근처에 대형우주선의 착륙장으로 사용할 수 있는 비교적 평탄한 지역이 있으면 더욱 좋은 달 유인기지 건설장소가 될 것입니다.

만약 우리가 지구에서 달 유인기지 건설을 위한 프로젝트를 수행한다고 가정하고 단계별로 설명해 보겠습니다.

먼저 지구에서 대형우주선을 발사하여 최적의 장소로 결정된 달 남극의 지하 용암동굴 근처로 보냅니다. 달 지표면에 안전하게 착륙한 대형우주선에 적재된 150톤 정도의 로봇들과 무인 장비들이 차례대로 달 표면에 내려옵니다.

달 표면에 내려온 장비 중 탐사로봇은 와이어를 사용하여 달 유인기지 건설에 이용될 용암동굴 입구로 들어가서 정확한 용암동굴의 입구 크기, 폭, 깊이, 동굴표면 상태, 바닥면 굴곡 상태 등 내부지형을 촬영 및 조사하여 지구로 데이터를 보내 계획된 유인기지 건설자료와 비교하고 분석하여 최종 건설 계획을 수정하여 결정합니다.

그리고 최종 결정된 달 유인기지 건설 계획에 따라 달 지하 용암동굴로 들어가는 경사통로 입구를 만들기 위해 무인장비를 용암동굴의 입구 외곽에서 약 400m이상 떨어진 거리로 이동시킵니다.

무인장비는 달 유인기지 입구가 될 부분의 땅을 파서 움푹하게 만들어 땅파기 로봇이 들어가 동굴 중심 방향으로 적정 경사도(예시: 경사도 10~20%)를 유지하며 용암동굴 중심과 연결되는 통행로를 만들어 나갑니다.

또한 달 유인기지 입구 반대편에 똑같은 방식으로 무인장비를 이용하여 출구 부분의 땅을 파서 땅파기 로봇이 들어가 동굴의 중심방향으로 적정 경사도(예시: 경사도 10~20%)를 유지하며 동굴 중심과 연결되는 출구 통행로를 만들어 나갑니다.

그리고 땅파기 로봇이 통행로를 만들기 위해 파낸 달 토사 및 암석은 무인 운반차에 적재되어 밖으로 실어 날라지고 달 유인기지 입구와 출구 부분을 적정 높이와 반경으로 굴착 토사 및 암석을 원형 형태로 쌓아 방호벽을 만들어 운석 및 돌덩어리 등 외부 위험으로부터 보호합니다.

또한 다양한 건설 로봇과 3D프린팅 복합차량은 와이어를 이용하여 용암동굴 입구로 들어가거나 땅파기 로봇이 만들어낸 통행로를 사용하여 용암동굴 중심 바닥에 도착합니다.

그리고 달 유인기지 건설 계획에 따라 용암동굴 벽면을 따라 단계별로 1층부터 건설 로봇과 3D프린팅 복합차량을 이용하여 우주인이 거주할 수 있는 방이나 공간을 만들어 나가고 벽면에 산소 주입형 튜브를 밀어 넣어 밀폐시키고 각각의 원형 튜브들을 핀으로 연결하여 여러 가지 공간들을 설치해 나갑니다.

또한 달 남극 지하 용암동굴 중심 부분에 태양이 가장 잘 비추는 곳에는 농작물을 재배할 수 있는 온실을 건설로봇과 3D프린팅 복합차량을 이용하여 설치합니다.

그리고 온실에서 각종 채소와 과일들을 재배하여 우주인들이 장기간 달에 머무르며 먹을 수 있는 식량을 제공하도록 합니다.

마침내 인류는 달에 거주하는 우주인들을 위해서 다양한 시설들을 로봇과 무인 장비들을 사용하여 만들어내고 최초의 달 남극 유인기지를 건설하는 엄청난 성과를 이룩하게 될 것입니다.

제6장. 달 무인기지 건설

다음은 달 무인 기지에 대하여 보다 세부적으로 건설하는 방향에 대하여 알아보고자 합니다.

달 자원 무인기지 건설 후보지는 유인기지와 떨어진 거리가 가까울수록 좋을 것이지만 달에 매장된 많은 희소 자원들을 캐내는 채굴량이 떨어진다면 거리와 상관없이 채산성이 큰 위치를 선정해야 합니다.

만약 우리가 지구에서 달 무인기지 건설을 위한 프로젝트를 수행한다고 가정하고 단계별로 설명해 보겠습니다.

달에 희소자원의 경제적 이익이 큰 채산성이 높은 지역을 앞서 애기한 달 표면의 입체 영상지도를 이용하여 희소 자원별 가치 중첩도 크기를 비교하여 몇 개의 후보지를 선정합니다.

이런 달 무인기지 후보지 중에서 가장 우선적으로 경제적 가치의 한계까지 캐낼 수 있는 광석의 총량인 가채매장량이 가장 큰 곳을 고려합니다.

다음으로 로봇과 무인 채굴 장비들이 작업을 하지 않은 동안 외부 위험으로부터 안전하게 보호받고 수리할 수 있는 공간과 장비들의 주행성이 좋은 곳과 지형이 비교적 평탄한 곳 등을 조사 및 분석하여 최종 후보지를 결정합니다.

달 무인기지 최종 결정 지역을 예상한다면 폭풍의 대양(OCEANUS PROCELLARUM)에 입구 폭과 깊이(예시:폭 10~50m미만, 깊이 20~100m미만)인 어느 지하 용암동굴이 될 것으로 생각합니다.

그리고 지구에서는 달 무인기지 건설을 위해 결정된 지역으로 대형우주선을 발사하여 로봇들과 무인 채굴 장비들을 무인기지 건설장소로 보냅니다.

달에 폭풍의 대양(OCEANUS PROCELLARUM) 지하 용암동굴 근처에 안전하게 착륙한 대형우주선에서 로봇과 무인 채굴 장비들이 순서대로 달 표면에 내려옵니다.

그리고 달 표면에 내려온 장비 중 탐사로봇은 달 무인기지 건설에 이용될 지하 용암동굴 입구로 들어가서 정확한 입구 크기, 폭, 깊이, 동굴표면 상태 등 내부지형을 촬영 및 조사하여 지구로 데이터를 보내 계획된 무인기지 건설자료와 비교하고 분석하여 최종 건설 계획을 수정하여 결정합니다.

최종적인 달 무인기지 건설 계획에 따라 달에 폭풍의 대양(OCEANUS PROCELLARUM) 지역의 지하 용암동굴로 들어가는 경사통로 입구를 만들기 위해 무인장비를 용암동굴의 입구 외곽에서 약 200m이상 떨어진 거리로 이동시킵니다.

그리고 무인장비는 달 무인기지 입구가 될 부분의 땅을 파서 움푹하게 만들어 땅파기 로봇이 들어가 동굴 중심방향으로 적정 경사도(예시: 경사도 20~40%)를 유지한 상태에서 땅파기 로봇 2대가 앞뒤로 선 굴착과 후 굴착 거리 약 50m이상 떨어져 뚫으며 대형 통행로를 동굴 중심방향으로 만들어 나갑니다.

또한 달 무인기지 입구 반대편에 똑같은 방식으로 무인장비를 이용하여 출구 부분의 땅을 파서 땅파기 로봇이 들어가 동굴의 중심방향으로 적정 경사도(예시: 경사도 20~40%)를 유지하며 땅파기 로봇 2대를 이용하여 대형 통행로를 만들어 나갑니다.

그리고 땅파기 로봇이 통행로를 만들기 위해 파낸 달 토사 및 암석은 무인 운반차에 적재되어 밖으로 실어 날라지고 달 무인기지 입구와 출구 부분을 적정 높이와 반경으로 굴착 토사 및 암석을 원형 형태로 쌓아 방호벽을 만들어 운석 및 돌덩어리 등 외부 위험으로부터 보호합니다.

또한 무인 채굴 장비들이 달 표면에서 캐어낸 희소 자원이 포함된 달 토사 및 암석들은 무인 운반 차량에 적재되어 복합 분리기에 넣어져 금속 및 비금속 광물로 잘게 파쇄되어 나누어집니다.

그리고 분류된 금속 광물은 복합 제련기를 통하여 순수한 광물로 응집과정을 거쳐 보관되고 비금속 광물은 경제적 가치에 따라 외부로 반출되어 처리되거나 별도 응집과정을 거쳐 보관됩니다.

그리고 달 무인기지 제1호 거점을 기준으로 인접하여 용암동굴이나 계곡의 하단부 측면에 창고 공간을 만들어서 희소자원 보관시설과 장비들의 안전한 보호 및 수리 공간을 확보해 가면서 점진적으로 제2호 거점을 찾아 거미줄 모양의 형태로 확장해 나갑니다.

결국 우리는 달에 폭풍의 대양(OCEANUS PROCELLARUM) 지역에 많은 달 무인기지 거점들을 형성하며 많은 희소 자원들을 채굴해 나갈 수 있을 것입니다.

제7장. 자원 채굴의 최적 경로

저자는 달에 폭풍의 대양지역에 어느 지하 용암동굴에 안정적으로 무인기지 제1호 거점을 완성하였다고 가정하고 설명하겠습니다.

그리고 그곳에 보유하고 있는 로봇과 무인 채굴 장비들은 근처에 매장되어 있는 많은 희소 자원들을 캐내어 운반하는 작업에 투입될 것입니다.

이것은 무인기지 제1호 거점을 중심으로 많은 로봇과 무인 채굴 장비들이 희소자원 채굴 및 운반에 이용될 것이고 유용광물의 채산성을 높이기 위해 미리 계획한 자원 채굴의 최적 경로가 필요할 것입니다.

이런 최적 경로는 로봇과 무인 채굴 장비들이 따로 움직이는 것이 아닌 병렬조합으로 움직이게 될 것이고 달 입체 영상지도에 표시된 희소 자원별 중첩도를 이용하여 효과적인 채굴 루트를 발견할 수 있을 것입니다.

그리고 달에 매장된 희소 자원들의 채굴 효율성을 높이기 위해 지구에서는 대형우주선을 통하여 제3호 및 제4호 거점 등을 찾아내어 지속적으로 로봇과 무인 채굴 장비들을 보내어 최적의 채굴 루트를 활용하여 엄청난 경제적 이익을 확보할 수 있을 것입니다.

또한 달 자원 무인기지 제1호 거점과 다른 거점들을 3D 입체 분석을 통하여 거미줄 모양의 방사 형태로 유기적으로 연결하여 달에 매장된 많은 희소 자원들을 효율적으로 캐낼 수 있을 것입니다.

따라서 우리는 다른 우주 선진국들보다 달에 매장되어

있는 희소자원을 먼저 선점하고 로봇과 무인 채굴 장비들을 보내 보다 효율적으로 자원들을 캐내는 달 자원 채굴의 최적 경로까지 확보하여 자원 강국이 될 것입니다.

〔무인기지 운송 루트 상상도〕

제8장. 유인기지 활용

우리는 달 자원 유인기지가 달의 남극 또는 북극에 있는 어느 지하 용암동굴에 가까운 미래에 실제로 세워지게 될 것이라고 가정할 수 있을 것입니다.

그리고 달에 한꺼번에 많은 로봇과 무인 장비들을 보낼 수 있는 대형우주선이 개발된다면 달에 유인 기지를 건설하는 프로젝트는 반드시 성공하게 될 것이고 마침내 인류는 달 남극 또는 북극의 지하 용암동굴에 우주인들이 생활하는 새로운 주거지를 세울 수 있을 것입니다.

달 유인기지는 우주인과 로봇 및 무인 장비들이 함께 어우러져 살아가는 우주 경제 활동의 첫 터전이 될 것이고 다양한 일들이 발생하게 될 것입니다.

먼저 달 유인기지는 처음에는 소수의 과학자나 공

학자들이 짧은 기간 특정한 임무를 수행하기 위해 지구와 달을 왔다 갔다 하는 활동 공간이 될 것입니다.

그리고 달 유인기지는 점차 많은 편의 시설들이 갖추어지게 될 것이고 인류는 지구를 벗어나 진정한 우주여행의 첫 번째 명소가 될 것입니다.

많은 지구인들이 대형우주선을 통하여 유인기지를 구경하고 즐기기 위해 올 것이고 그런 지구인 손님을 맞이 할 편의 시설들은 더욱 확장될 것입니다.

첫 번째로 달 유인기지에는 물과 음식을 충분하게 공급받을 수 있는 저장소가 있고 온실에서는 수경재배된 야채와 과일을 확보할 것이고 특히 물은 달 표면과 지하에 매장되어 있는 것을 응집하여 뽑아내 사용할 수 있는 장비를 사용하게 될 것입니다.

두 번째로는 달 유인기지 지하 용암동굴에 객실과 업무를 볼 수 있는 사무공간이 마련되어 있어 우주인들이 장기간 머무르는 동안 일을 처리 할 수 있게 될 것입니다.

또한 인류는 지구와 달리 중력이 1/6로 작은 달에서 장기간 거주하기 위해서 하루에 1시간 이상을 지구의 중력과 같은 상태로 유지하는 인공 중력실(원리:원심력 활용)에서 운동을 하거나 체력단련을 함으로써 몸의 뼈와 근육을 정상태로 유지 할 수 있게 되어 장기간 달에 머무를 수 있게 도와줄 것입니다.

세 번째로는 달 유인기지 내부에는 많은 우주인들이 머무르며 다양한 자원을 사고 판매할 수 있는 무역센터와 쇼핑몰 및 시장이 개설되어 운영될 것입니다.

여기에서 우주인들은 다양한 우주 경제 활동을 누리며 생활하게 될 것입니다.

네 번째로는 달 유인기지 내부에 우주인이 즐길 수 있는 스포츠 및 놀이공간, 노래방, 카지노 등이 설치되어 이곳에서 우주인들은 재미있는 달 관광을 체험하게 될 것입니다.

또한 달에서 사용하는 모든 화폐는 가상화폐로써 블록체인을 통하여 자유롭게 개인, 기업, 국가간 거래가 활발하게 이루어질 것이며, 엄청난 우주 경제 활동이 일어나게 될 것입니다.

그러므로 인류는 지구를 벗어나 달 유인기지를 건설하고 활용하게 됨으로써 새로운 우주로 도약하는 우주인들이 될 것입니다.

제9장. 무인기지 활용

우리는 달 자원 무인 기지를 달에 폭풍의 대양(OCEANUS PROCELLARUM)지역 어느 지하 용암동굴에 향후 세워질 것이라고 가정을 해 보겠습니다.

그리고 달에 대형우주선을 사용하여 한꺼번에 많은 로봇과 무인 채굴 장비들을 실어 보내고 달에 매장된 많은 희소 자원들을 캐내어 무인 운반차에 적재하여 실어 나르는 작업을 달 자원 무인 기지에서 하게 될 것입니다.

로봇과 무인 채굴 장비들은 작업 순서에 따라 병렬조합으로 광석을 캐내는 작업을 하게 될 것이고 채굴 작업에 투입되지 않는 일정 시간에는 무인기지 내부 창고에서 점검과 수리 및 에너지 충전 등을 받아 장기간 관리될 것입니다.

특히 로봇과 무인 장비들은 커다란 운석이 달 무인 기지 근처에 충돌위험이 발생할 경우에는 안전하게 보호받기 위해서 가장 가까운 창고 또는 임시장비 대피소에 돌아올 수 있도록 위험 감지 시스템을 이용하여 적정한 통제를 받게 될 것입니다.

그리고 달 표면 및 지하에서 캐낸 달 토양 및 암석은 복합 분리기에 넣어져 금속 및 비금속 광물로 파쇄되어 나누어지고 복합 제련기를 통하여 순수한 광물로 응집되어 보관될 것이고 경제적 가치가 없는 불용광물은 무인기지 바깥으로 옮겨져 토사 방호벽을 쌓는데 사용 할 것입니다.

이렇게 만들어진 고순도 광물들은 달 무인 기지에 일정 기간 창고에 보관되다가 지구로 운송하는 비용과 판매 비용을 비교하여 수익성이 발생하는 일부의 광물들은 대형우주선을 통하여 지구로 운반되어 거래소를 통하여 판매될 것입니다.

또한 달 무인 기지에 보관되는 대부분의 광물들은 유인기지 광물 회수팀에 의해 정기적으로 안전하게 가져오게 되어 현지에서 직접 판매되거나 다양한 산업활동에 이용하게 될 것입니다.

또한 달 무인 기지에는 허가받지 않은 사람이나 장비들이 들어올 수 없도록 전자 인식코드 등을 통하여 정확하게 출입 통제되는 경비 시스템이 설치되어 있어 고순도의 광물들을 빼앗아 가려는 도둑으로부터 안전하게 보호할 것입니다.

따라서 우리는 달 무인기지 활용을 통해서 지구를 벗어나 우주에서 희소자원을 캐내는 최초의 무인 기지를 얻게 될 것입니다.

이를 토대로 더 깊고 넓은 우주의 많은 행성과 위성 및 혜성 등을 탐사하고 많은 무인 기지들을 확장하여 운영하게 될 것입니다.

Ⅲ 결 론

제10장. 우주를 향해

우리는 누구나 꿈을 꾸며 살아갑니다. 저자는 지구를 벗어나 밤하늘에 떠 있는 별과 달을 보며 우주선을 타고 많은 행성과 위성들을 탐험하는 꿈을 상상합니다.

최근 우주 선진국과 우주 기업들의 노력으로 점차 달에 여행을 가는 것이 가능한 시대가 가까이 다가오고 있습니다.

가까운 미래에 우리는 달에 대형우주선을 타고 자유롭게 왕래하고 달에 매장되어 있는 자원을 채굴하여 사용하는 최초의 우주 경제 활동을 지켜보게 될 것입니다.

또한 달 유인기지에는 우주인들이 달을 체험하고 교류하는 첫 공간이 될 것이고 인류는 유인기지에 설치된 다양한 편의 시설에서 먹고 마시고 즐기며 생활하게 될 것입니다.

우리는 달에 건설한 유인기지를 기반으로 하여 다양한 행성과 위성들을 탐사하고 더 넓은 우주를 향해 나아갈 준비가 되어 있을 것입니다.

또한 우리는 우주기술을 더욱 발전시키기 위해 각 나라들과 기업 및 개인들은 더욱 많은 비용을 투자하고 시간과 노력을 들일 것입니다.

시간이 흘러 우리는 지구에서 아주 먼 우주의 행성들까지 항해할 수 있는 대형우주선 제작 기술 등을 만들어 낼 것입니다.

이런 대형우주선이 우주에서 장거리로 이동하는데 가장 중요한 우주기술은 엔진이 될 것입니다.

그 중에 소형 핵분열 엔진 또는 소형 핵융합 엔진의 비약적인 발전을 통하여 인류는 우주를 자유롭게 항해하고 탐험하는 우주 대탐험 시대를 맞이하게 될 것입니다.

결국 인류는 미지의 행성에서 다른 생명체와 조우하는 상황이 발생할 것입니다.

그리고 다른 행성의 종족들과 다양하게 교류하며 살아가는 우주 대경제 시대를 맞이하게 될 것입니다.

〔 미지 행성 채굴 상상도 〕

책을 마치며

이 책에 도움을 주신 모든 사람들에게 감사를 드리고 항상 저를 응원해 주는 가족들에게 깊은 사랑을 보냅니다.

또한 이 책을 쓸 수 있도록 저에게 능력과 지혜를 주시고 매 순간 함께하시는 하나님의 은혜와 축복에 깊은 감사를 드립니다.

참 고 문 헌

미래 달 자원 탐사와 채굴 기술(저자: 김석환, 출판 연도: 2023)